这本图画书送给:

著作权合同登记号：图字 01-2010-6781

图书在版编目（CIP）数据

转转转！动物转圈舞/（澳）奥默罗德著；（英）加德纳绘；刘小华译.
— 北京：现代教育出版社，2011.1（2011.3重印）
书名原文：Whoosh Around the Mulberry Bush
ISBN 978-7-5106-0451-5

Ⅰ．①转… Ⅱ．①奥… ②加… ③刘… Ⅲ．①图画故事—英国—现代 Ⅳ．①I561.85

中国版本图书馆CIP数据核字(2010)第220080号

书　　　名　转转转！动物转圈舞
丛　书　名　牛津经典童书系列

作　　　者　【澳】简·奥默罗德　　　　插　图　【英】琳赛·加德纳
译　　　者　刘小华
出版发行　现代教育出版社
地　　　址　北京市朝阳区安华里504号E座　　邮　编　100011
电　　　话　（010）64246373　　　　　　传　真　（010）64251256
出品人　宋一夫
总策划　李　静
责任编辑　刘　杰　　　　　　　　　　　　封面设计　丁　磊
印　　　刷　北京华联印刷有限公司
开　　　本　889×1194mm　1/16
印　　　张　2　　　　　　　　　　　　　　字　数　5千字
版　　　次　2011年1月第1版　　　　　　印　次　2011年3月第2次印刷
书　　　号　ISBN 978-7-5106-0451-5
定　　　价　13.50元

本书是献给琳赛、爱丽和莫莉

这本书的灵感来自于充满爱的歌曲——"我们围着桑葚丛转圈"。书中的文字可以作为歌词，还有各种动物的动作和叫声。这本书中的动物可以在花园里找到，也可以在农场里找到，还有一些海边、深海、沙漠、热带雨林、大草原、北极、湿地的动物。这是一本能给孩子们带来快乐的书，在书中孩子们能了解到我们世界上的各种各样的动物栖息地，并能鼓励他们增强保护物种的意识。

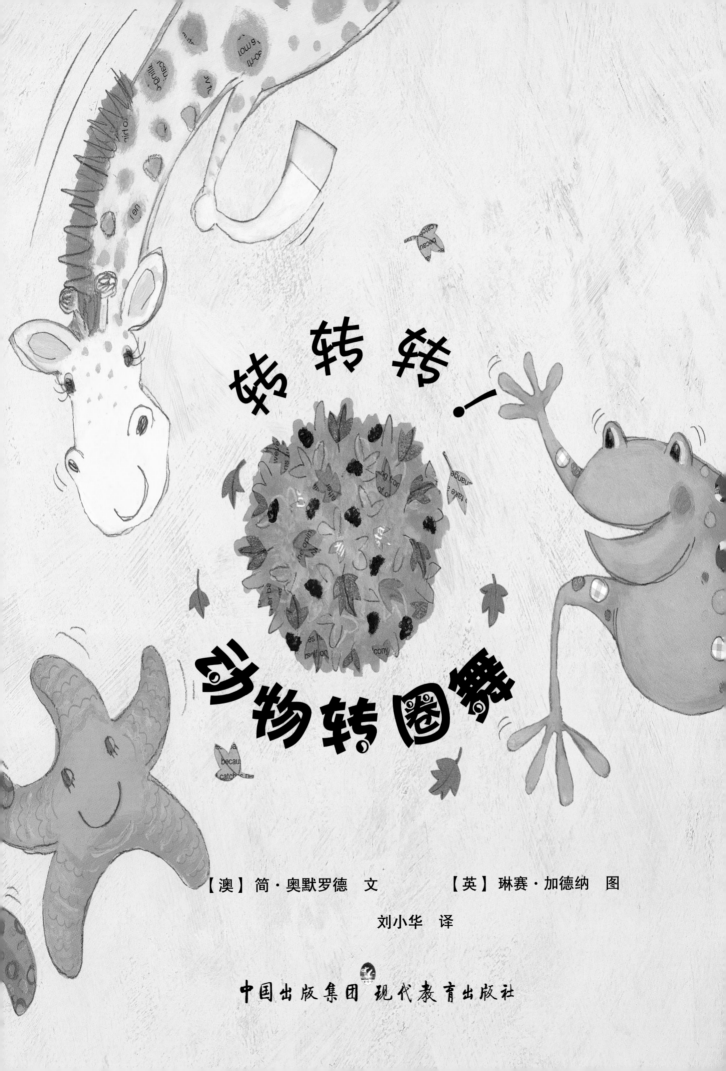

转转转！

动物转圈舞

【澳】简·奥默罗德 文　　　　【英】琳赛·加德纳 图

刘小华 译

中国出版集团 现代教育出版社

我们
在这里
围着桑葚丛转圈，

嗖嗖地、飞快地
转动。

我们在一个寒冷的有霜的早上，围着蔡·甚从转圈。

我们就这样**蠕动着**走来，

拍打着，**摇摆着**，唱着歌。

我们在一个香气扑鼻的早上，
围着花坛转圈。

9

我们就这样

像**公鸡**一样**喔喔**地叫，

像**母鸡**一样**咯咯**地叫，

像**鹅**一样**哦哦**地叫，

像**小羊**一样**咩咩**地叫，

像**牛**一样**哞哞**地叫。

我们在**很早**的早上，

围着**鸡舍**转圈。

我们就是这样挖洞和潜水呀，

快跑，慢爬，夹紧，挤压。

我们在一个<u>微风阵阵</u>的夏日早上，

围着<u>沙滩</u>转圈。

我们就是这样拍打着我们的鳍，

游泳，猛冲，飞奔，潜水。

我们在一个咸咸的、泡沫丰富的早上，
围着深海转圈。

我们就是这样尖叫，

偷偷地走，悄悄地走，呜呜呜。

我们在一个酷热沙漠的早上，

围着风滚草转圈。

我们就是这样**碰撞**、

叫喊、滑行、挤压、尖叫、摇摆。

我们在一个**湿热**的早上，

围着**丛林**里的**莫藤**转圈。

我们就是这样舔呀，啧啧地吃呀，

在泥里快乐地打滚，踢着我们的脚后跟。

20

我们在一个干燥、灰尘弥漫的早上，围着水坑转圈。

21

我们就是这样拍手，

鼓掌，滑来滑去，啪嚓扑通地玩水

我们在一个雪花漫天、光线耀眼的早上，

围着冰柱转圈。

我们就是这样呱呱地叫，

不停地蹦蹦跳跳，扑通扑通地跳。

我们在一个**多雾潮湿**的早上，
围着长满**苔藓**的木桩转圈。

我们就是这样瞪着大大的眼睛，

轻快地飞掠，俯冲和振翅高飞。

我们在早上来临之前，

围着满天繁星的夜晚转圈。

让我们一起围着桑葚丛飞快地不停转圈！

让我们每天早上都飞快地跳舞！

29

现代教育出版社
国际大师绘本文库

国际大师绘本文库
M·E·P

OXFORD
UNIVERSITY PRESS
牛津经典童书

《跳跳跳！动物集体舞》

《摇摇摇！动物摇摆舞》

《转转转！动物转圈舞》

《楼下的怪声》

《野营》

《草莓太阳镜》

《小老鼠威廉》

《小兔子的圣诞愿望》

《小虫嗡嗡和小熊比尔》

《追捕小萝卜》

《瞧，凯蒂干的！》

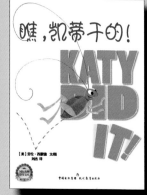

《抱抱北极熊》